France Choquette
Mario Ducharme

Cahier d'activités
pour les enfants de 7 et 8 ans

TRÉCARRÉ

Conception graphique :
Christine Battuz

Illustrations :
Christine Battuz

Mise en pages :
Ateliers de typographie Collette inc.

Révision linguistique :
Diane Legros

Nous reconnaissons l'aide financière du gouvernement du Canada par l'entremise du Programme d'aide au développement de l'industrie de l'édition (PADIÉ) pour nos activités d'édition ; du Conseil des Arts du Canada ; de la SODEC ; du gouvernement du Québec par l'entremise du Programme de crédit d'impôt pour l'édition de livres (gestion SODEC).

ISBN 2-89249-709-4

Dépôt légal 1996
Bibliothèque nationale du Québec

Imprimé au Canada

Éditions du Trécarré
Outremont (Québec) Canada

3 4 5 6 7   05 04 03 02 01

Table des matières

Me voici !

Mes petites trouvailles

3

L'hiver de ma vie

Dans le temps des grands-parents

L'école est finie, youpi!

5

Un été tout en beauté !

Le corrigé

Me voici !

Présentation

Salut !

Je te souhaite la bienvenue. Je suis ton nouvel ami. Je m'appelle Croque-Mots. Avec moi, tu feras toutes sortes d'activités et tu découvriras un monde merveilleux : la magie des mots.

Je t'assure qu'on s'amusera follement à croquer des mots ensemble !

Ton ami,
Croque-Mots

Des mots... encore des mots !

père

mère

frère

sœur

chien

chat

ville

téléphone

collier

Ma fiche d'identité

Nom : Croque-Mots

Espèce : crocodile

Âge : 7 ans

Couleur des yeux : bruns

Couleur de la peau : verte

Grandeur : 1,20 m

Surnom : Croquette

C'est à ton tour !

Colle
ta photo
ici

Nom : _____

Sexe : _____

Âge : _____

Couleur des yeux : _____

Couleur de la peau : _____

Couleur des cheveux : _____

Grandeur : _____

Surnom : _____

Ma vie de famille

Mon chat : Croque-Lune

Mon chien : Croque-Puces

Mon père : Croque-Papi

Mon frère : Croque-Bulles

Moi : Croque-Mots

Ma sœur : Croque-Lulu

Ma mère : Croque-Mami

Ta vie de famille

Toi :

Ta mère :

Ton père :

Ton frère ou tes frères :

Ta sœur ou tes sœurs :

Tes animaux :

Un carnet d'adresses

Remplis les feuilles du carnet d'adresses de Croque-Mots.

Nom : Croque-Mots

Adresse : 123, rue Verte

Ville : Croquemopolis

Code postal : A0B 1C2

Téléphone : 123-4567

Toi

Nom : _____

Adresse : _____

Ville : _____

Code postal : _____

Téléphone : _____

Ton ami ou ton amie

Nom : _____

Adresse : _____

Ville : _____

Code postal : _____

Téléphone : _____

L'alphabet en couleurs

Ajoute les lettres qui manquent dans le collier.
Choisis une couleur pour chaque lettre.

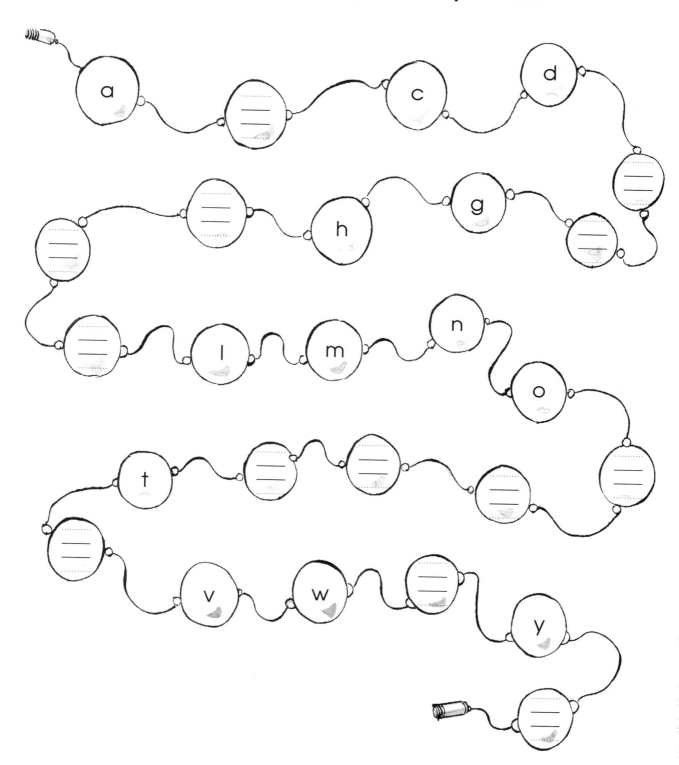

Des mots... encore des mots !

hôpital

rivière

fermière

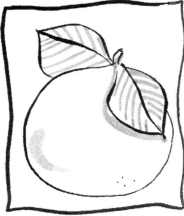

pêche

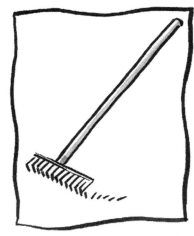

râteau

locomotive

ordinateur

secrétaire

/ = aigu

**** = grave

∧ = circonflexe

accents

14

Minuscule ou majuscule ?

Écris la lettre majuscule qui correspond
à chaque lettre minuscule.

Je suis
minuscule.

Je suis
majuscule.

Exemple : a   A

b   n

c   o

d   p

e   q

f   r

g   s

h   t

i   u

j   v

k   w

l   x

m   y

z

15

Mon pupitre est toujours en ordre

Place les objets que l'on a trouvés dans le pupitre
de Croque-Mots en ordre alphabétique.

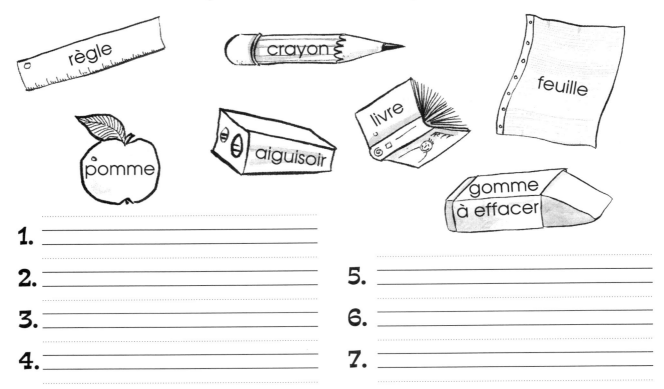

1. _____

2. _____

3. _____

4. _____

5. _____

6. _____

7. _____

Savais-tu qu'on peut placer en ordre alphabétique
des mots qui commencent par la même lettre?
Essaie de le faire.

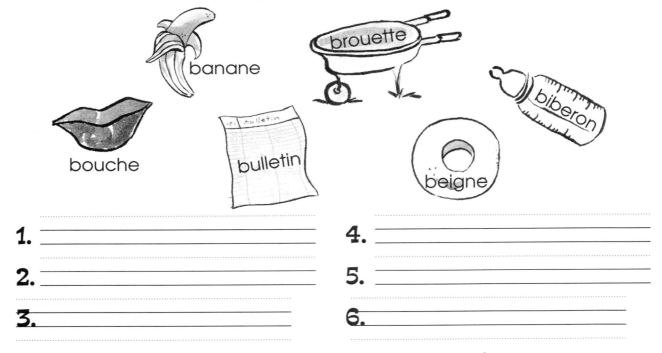

1. _____

2. _____

3. _____

4. _____

5. _____

6. _____

Nom propre...
où te caches-tu ?

Croquemopolis est une ville fantastique. Mon amie Éléonore habite sur la même rue que moi. Nous demeurons sur la rue Verte. Souvent, nous nous promenons main dans la main sous les immenses sapins verts de la rue Des Fougères. Croque-Puces, mon petit chien, s'amuse parfois à croquer la clôture de bois de notre voisin monsieur Latrimouille. Une chance, il n'a rien remarqué encore...

Cherche les noms propres de ce court texte et écris-les.

_____   _____
_____   _____
_____   _____
_____   _____

Vive les accents !

Salut !
Je m'appelle
« accent circon-
flexe ». Avec moi,
c'est la f**ê**te !

Bonjour ! Moi
c'est « accent
grave ». Je suis
t**rè**s heureux de
te rencontrer.

Allô, je suis
« accent aigu ».
Avec moi, tu
t'**é**merveilleras
devant les mots !

18

télévision
période
fête
pêche
école
piège
cèdre
râteau
château
fermière
féminin
collège
hôpital
rivière

**Classe les mots de la liste
dans la bonne catégorie.**

accent circonflexe

accent grave

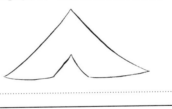

accent aigu

À la découverte de ton école

Croque-Mots aimerait
que tu lui présentes
quelques adultes importants
qui travaillent à ton école.

Mon enseignant
ou mon enseignante
se nomme :

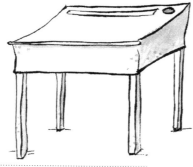

Le directeur,
ou la
directrice
se nomme :

Le
secrétaire
ou
la
secrétaire
se nomme :

Le concierge
ou la concierge
se nomme :

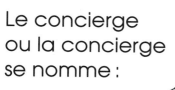

Mon professeur
d'éducation physique
se nomme :

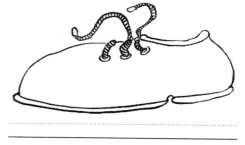

Des mots... encore des mots !

parc

chanson

horloge

trottoir

clôture

automobile

lettre

restaurant

histoire

Moi, j'aime...

> J'aime la crème glacée aux bananes.

À ton tour !

a) J'aime _____

b) J'aime _____

c) J'aime _____

> J'ai du talent pour chanter des chansons.

2.

À ton tour !

a) Je suis bon en

Je suis bonne en

b) J'ai du talent pour

c) J'ai du talent pour

d) Je suis bon en

Je suis bonne en

Le féminin et le masculin de Croquemopolis

22

Nomme 5 noms féminins et 5 noms masculins
que tu vois dans la ville de Croquemopolis.

Féminin (une)	Masculin (un)

Masculin ou féminin ?

Écris M ou F dans les cercles au-dessus de chaque mot.
M → Masculin (le-un)   F → Féminin (la-une)

Cher ⭕ papa,

Je t'écris cette ⭕ lettre pour te demander si je

peux aller coucher chez ma grande ⭕ copine

Amélie. Je sais que tu n'aimes pas que je ne

couche pas à la ⭕ maison. Cette fois-ci, c'est

spécial. Imagine-toi donc que le ⭕ père d'Amélie

veut nous amener au ⭕ restaurant pour la ⭕ fête du

⭕ frère d'Amélie, Alexis. J'aimerais pouvoir aussi

dormir dans le ⭕ lit à deux ⭕ étages d'Amélie.

On va se raconter plein d'⭕ histoires de peur

et on va rire de tout. Papa chéri, dis oui !

Je te donnerai beaucoup de ⭕ becs.

Je t'aime !
Croque-Lulu
xxx

23

Croquons des mots !

Regarde les mots inscrits sur les lèvres. Place-les au bon endroit.

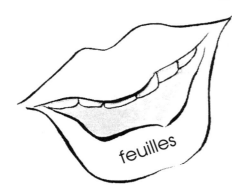

1. L'automne est une _____

   très agréable.

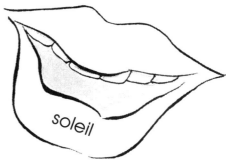

2. Les _____ sont

   de toutes les couleurs.

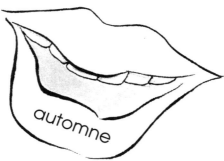

3. On s'habille plus

   _____ .

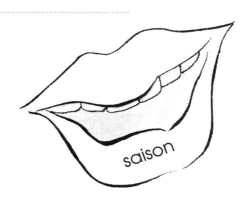

4. Le _____ se

   couche plus tôt.

5. Les _____ s'en

   vont vers le sud.

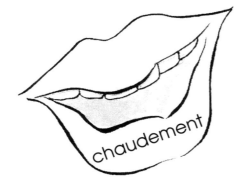

6. Vive l' _____ !

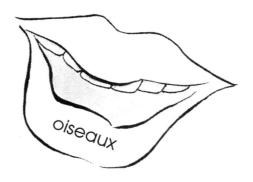

Le râteau rit de son rêve ridicule

Trouve des mots qui ont les syllabes ra, re, ri, ro, ru, ré, rè et rê.

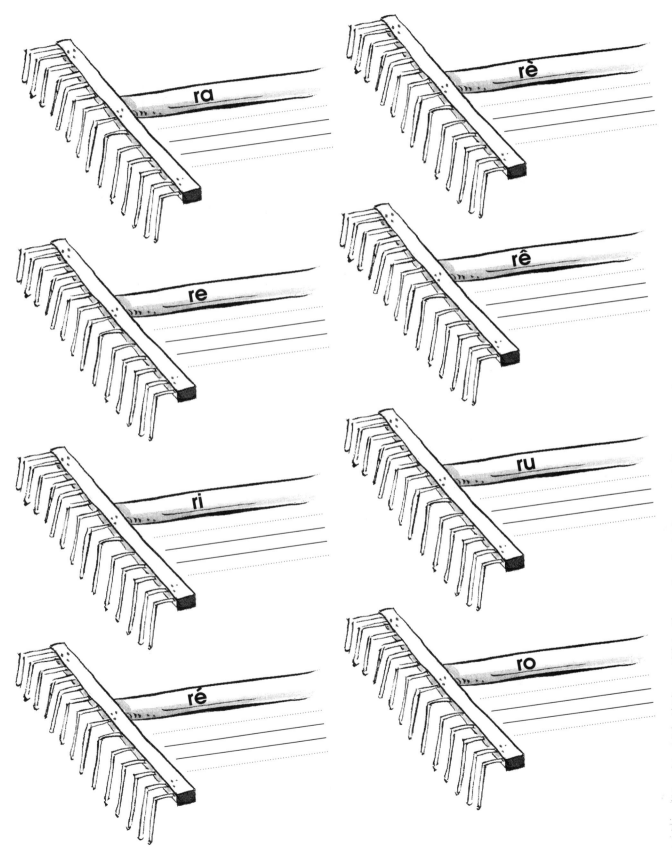

Un jeu de syllabes

Place les mots dans le bon cadre.
Pour t'aider, sépare tes syllabes avec un trait oblique.
Exemple : pa\ta\te

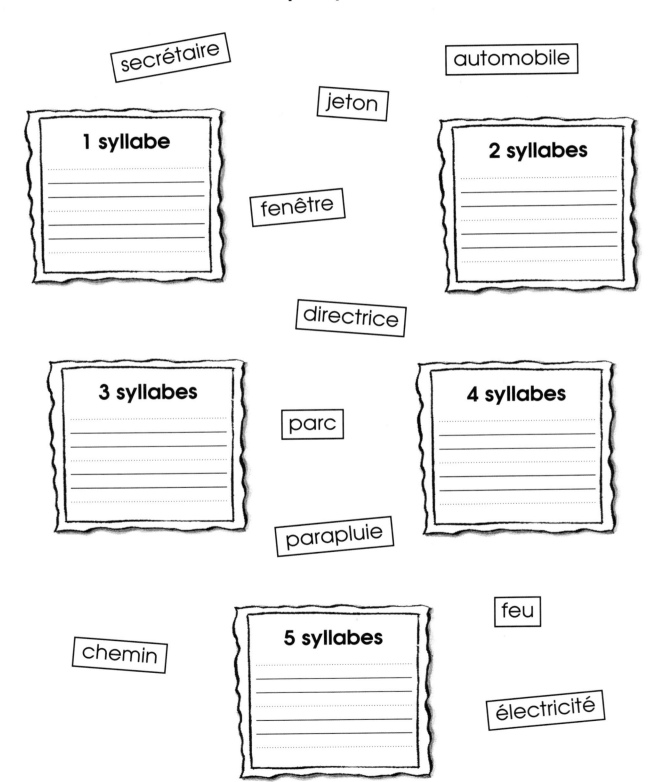

secrétaire

automobile

jeton

1 syllabe

2 syllabes

fenêtre

directrice

3 syllabes

parc

4 syllabes

parapluie

feu

chemin

5 syllabes

électricité

Mes petites trouvailles

Des mots... encore des mots!

brocoli

bouteille

étoile

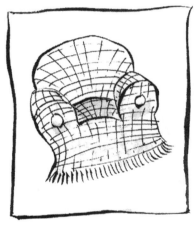

fauteuil

huit = 8
neuf = 9
dix = 10
onze = 11
douze = 12

chiffres

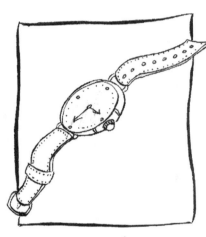

montre

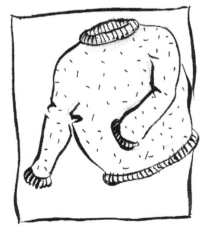

chandail

repas

macaroni

Où suis-je ?

Observe chaque dessin et trouve la bonne phrase qui correspond à l'image. Fais un **X** sur la bonne lettre.

1. a) Croque-Mots est <u>sur</u> le pupitre.
   b) Croque-Mots est <u>sous</u> le pupitre.
   c) Croque-Mots s'amuse <u>à côté</u> de son pupitre.

2. a) Croque-Mots est <u>devant</u> son enseignante.
   b) Croque-Mots est <u>à côté</u> de son enseignante.
   c) Croque-Mots est <u>derrière</u> son enseignante.

3. a) Croque-Mots marche <u>à côté</u> de son amie.
   b) Croque-Mots marche <u>sur</u> son amie.
   c) Croque-Mots marche <u>devant</u> son amie.

4. a) Croque-Mots s'amuse <u>sous</u> un tas de pommes.
   b) Croque-Mots s'amuse <u>à côté</u> d'un tas de pommes.
   c) Croque-Mots s'amuse <u>sur</u> un tas de pommes.

29

L'école de Croquemopolis

Lis le texte suivant.
Ensuite, associe le chiffre de la classe
avec la personne qui enseigne dans cette classe.

Dans mon école, il y a douze classes. Mariette enseigne dans la classe « un ». Alain est l'enseignant de la classe « deux ». Tony s'occupe de la classe « trois ». Carolina est responsable de la classe « quatre ». Cédrick est avec ses élèves dans la classe « cinq ». Judith enseigne dans la classe « six ». Stephen adore la classe « sept ». Huguette aime enseigner dans la classe « huit ». Carmen s'amuse bien dans la classe « neuf ». Yan préfère la classe « dix ». Clément enseigne dans la classe « onze ». Roberta adore la classe « douze ».

30

Il y a beaucoup de classes dans mon école, n'est-ce pas ?

L'école de Croquemopolis
(suite)

Fais comme dans l'exemple.

un   Carmen

deux   Alain

trois   Tony

quatre   Huguette

cinq   Carolina

six   Cédrick

sept   Mariette

huit   Judith

neuf   Clément

dix   Stephen

onze   Roberta

douze   Yan

Un « s » sans son !

Écris les mots que tu lis au pluriel.

Exemple : une bague
des <u>bagues</u>

1. la chambre
les _____

2. le brocoli
les _____

3. une bouteille
des _____

4. un fauteuil
des _____

5. la lampe
les _____

6. la montre
les _____

7. un chandail
des _____

8. l'étoile
les _____

9. l'armoire
les _____

Mon amie italienne

Lis ce court texte
et encercle les « s »
dans les mots
au pluriel.

33

J'adore ma copine Juliana ! Je vais souvent chez elle manger des spaghettis. Ses parents cuisinent beaucoup. Moi qui suis gourmand, je me régale des repas de cette famille qui vient de Florence, en Italie.

Souvent, Juliana apporte à l'école des dîners qui sont différents des nôtres. Ses amis aiment bien déguster les mets italiens qu'elle leur fait goûter. Que ce soit des pizzas, des macaronis ou des lasagnes, ces petits plats que ses parents préparent nous apportent beaucoup de joie pendant l'heure du midi.

Vive l'Italie !

De bien belles phrases

34

Compose une petite histoire à l'aide du dessin ci-dessus.

Titre : _Monsieur paraseux_

Des mots... encore des mots !

oreille

trampoline

melon d'eau

grêlons

jambe

pied

doigt

escalier

torticolis

35

Les parties du corps

Observe ce garçon. À l'aide des mots qui suivent,
nomme chaque partie de son corps.

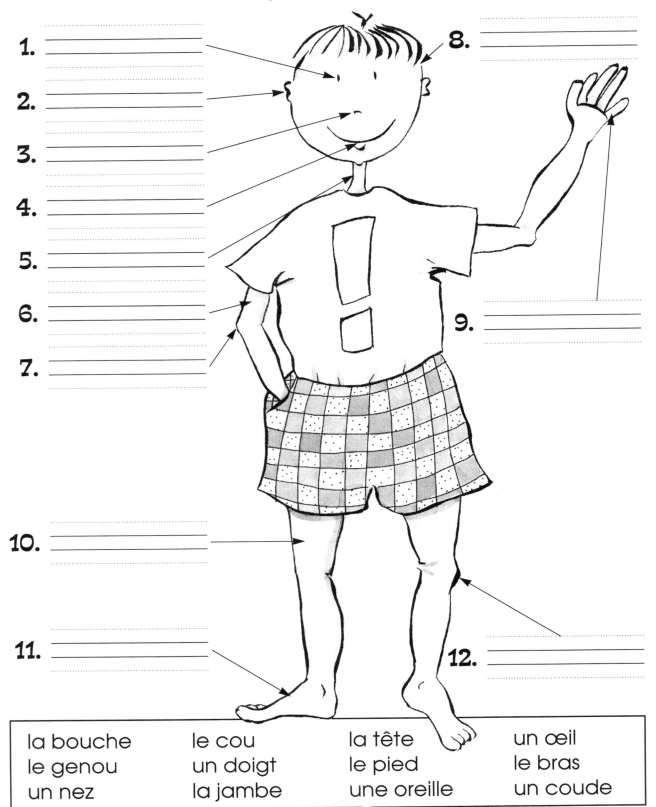

1. _____

2. _____

3. _____

4. _____

5. _____

6. _____

7. _____

8. _____

9. _____

10. _____

11. _____

12. _____

36

la bouche	le cou	la tête	un œil
le genou	un doigt	le pied	le bras
un nez	la jambe	une oreille	un coude

Mon cours d'éducation physique

Souligne les mots d'action (verbes)
dans les phrases suivantes.
Relie les phrases avec le bon dessin.

a)

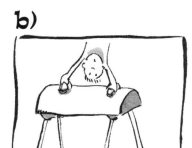

b)

1. Croque-Mots saute
   sur le trampoline.

2. Croque-Lulu grimpe
   la corde de Tarzan.

c)

3. Vincent court à
   toute vitesse.

d)

4. Saïd lance le ballon
   au mur.

e)

5. Oualid fait une culbute
   sur le cheval sautoir.

f)

6. Dominic attrape la
   balle de caoutchouc.

g)

7. Croque-Bulles joue
   au badminton.

h)

8. Kevin monte
   les escaliers.

37

À ta santé!

Encercle la phrase qui contient le mot de qualité (adjectif qualificatif) qui convient.

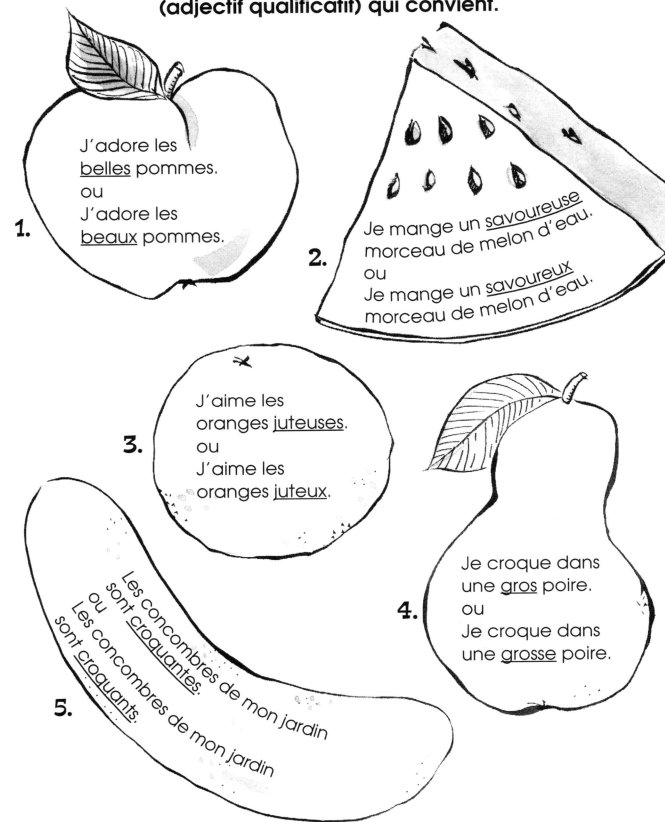

1. J'adore les <u>belles</u> pommes.
ou
J'adore les <u>beaux</u> pommes.

2. Je mange un <u>savoureuse</u> morceau de melon d'eau.
ou
Je mange un <u>savoureux</u> morceau de melon d'eau.

3. J'aime les oranges <u>juteuses</u>.
ou
J'aime les oranges <u>juteux</u>.

4. Je croque dans une <u>gros</u> poire.
ou
Je croque dans une <u>grosse</u> poire.

5. Les concombres de mon jardin sont <u>croquantes</u>.
ou
Les concombres de mon jardin sont <u>croquants</u>.

38

Un sport de tous les jours

Observe le dessin et écris le verbe qui lui correspond.
Choisis tes verbes dans la liste au bas de la page.

1. Il se _____ les dents.

2. L'enfant _____ son soulier.

3. Le bébé _____ de la purée.

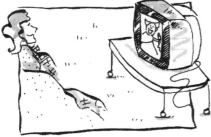

4. Maman _____ la télévision.

5. Le garçon _____ dans un lit douillet.

traverse	dort	observe	chante	attache	brosse
mange	boit	court	danse	regarde	pleure

Quelle histoire !

**Lis attentivement le texte qui suit.
Ensuite, réponds aux questions de la page suivante.**

Par un beau samedi ensoleillé, Croque-Papi et Croque-Mots se promènent en voiture. Croque-Papi conduit pendant que Croque-Mots chante de belles chansons. Le paysage est magnifique. Le visage souriant, Croque-Mots a bien hâte de voir son grand-père à la ferme. Tout à coup, de gros nuages noirs assombrissent le ciel. Des grêlons de la grosseur d'une balle de golf tombent avec fracas. Croque-Papi ne voit plus rien devant lui. L'automobile tourne sur elle-même et « boum » frappe un arbre. Croque-Mots ouvre les yeux et regarde son père. Croque-Papi lui dit que sa jambe lui fait très mal. En peu de temps, une ambulance arrive sur les lieux et conduit Croque-Papi et Croque-Mots à l'hôpital pour s'assurer qu'ils n'ont rien de grave. Ouf ! le papa de Croque-Mots n'a qu'une jambe cassée et notre ami Croque-Mots, un douloureux torticolis.

Quelle histoire ! (suite)

1. Nomme les personnages de l'histoire.

   _____

   _____

2. Qui conduit la voiture ?

   _____

   _____

3. Vrai ou faux ?
   Croque-Mots se casse une jambe.

   _____

   _____

4. Trouve trois mots d'action (verbes) dans le texte.

   _____   _____   _____

   _____   _____   _____

5. Trouve trois mots de qualité (adjectifs qualificatifs).

   _____   _____   _____

   _____   _____   _____

6. Trouve trois mots au pluriel.

   _____   _____   _____

   _____   _____   _____

41

7. Décris en trois phrases un accident que tu as déjà vu ou vécu.

   _____

   _____

   _____

   _____

   _____

   _____

Des mots... encore des mots !

vedette

chambre

feuille

pompier

perroquet

champion

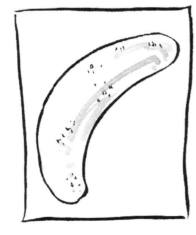

concombre

lampe

parapluie

Des phrases-vedettes

Fais un X dans la case « Oui » si la phrase est bien construite (majuscule et point).
Fais un X dans la case « Non » si elle ne l'est pas.

	Oui	Non
a) Mon frère Jérémie est une vraie vedette.	☐	☐
b) Il a toujours de bons résultats à l'école	☐	☐
c) L'autre jour, il était le seul de sa classe à avoir tout bon dans sa dictée.	☐	☐
d) Jérémie a même reçu un diplôme de bonne conduite.	☐	☐
e) Souvent, il me donne de bons trucs pour bien réussir ma dictée.	☐	☐
f) Une vedette comme lui, il n'en existe pas beaucoup	☐	☐

À ton tour de composer trois phrases avec des majuscules et des points.

_____

_____

_____

_____

_____

Une saison haute en couleur

- • vivant ou vivante
- • fort ou forte
- • coloré ou colorée
- • enchanté ou enchantée
- • étoilé ou étoilée

44

1. Pour les phrases suivantes, ajoute
le mot de qualité (adjectif qualificatif) qui convient.

a) L'arbre _____ de mon jardin est splendide.

b) Le vent froid d'automne souffle très _____.

c) La rue illuminée éclaire dans la nuit _____.

d) Les enfants se promènent dans la grande

forêt _____ .

e) C'est une saison vraiment _____ .

2. Place les mots du haut de la page dans la bonne feuille.

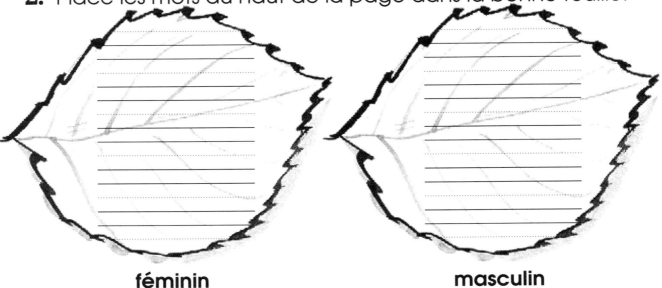

féminin   **masculin**

Oui ou non ?

Transforme les phrases positives en phrases négatives à l'aide de ces mots : « ne pas, ne plus, ne jamais ».

Exemple : J'aime les histoires de ma grand-mère.

Je n'aime **pas** les histoires de ma grand-mère.

1. Je joue aux cartes avec ma cousine.

2. Ma sœur lit une histoire à ma mère.

3. Le panda géant mange des feuilles.

4. Mon père achète des pâtisseries appétissantes.

5. La fenêtre de ma chambre est brisée.

45

Je n'aime **pas** me faire disputer.

Trouve-nous!

	A	B	C	D	E	F
6	tou	cou	ca	ti	té	quet
5	guir	lé	ma	tri	bi	pion
4	pom	ra	pluie	ra	é	ne
3	pa	ro	pier	to	que	pan
2	lan	ge	ne	pho	lec	que
1	fle	ra	cham	de	au	per

**Trouve les mots cachés à l'aide
des coordonnées suivantes.**

46

a) (B,6) (D,4) (B,2)

b) (E,6) (B,5) (D,2) (C,2)

c) (A,4) (C,3)

d) (C,1) (F,5)

e) (F,1) (B,3) (F,6)

f) (F,3) (A,6) (A,1)

g) (E,1) (D,3) (C,5) (D,6) (F,2)

h) (C,6) (B,4) (E,5) (C,2)

i) (A,5) (A,2) (D,1)

j) (A,3) (D,4) (C,4)

k) (E,4) (E,2) (D,5) (F,2)

La fête du « m » et des « b »

Encercle le mot qui est écrit correctement.

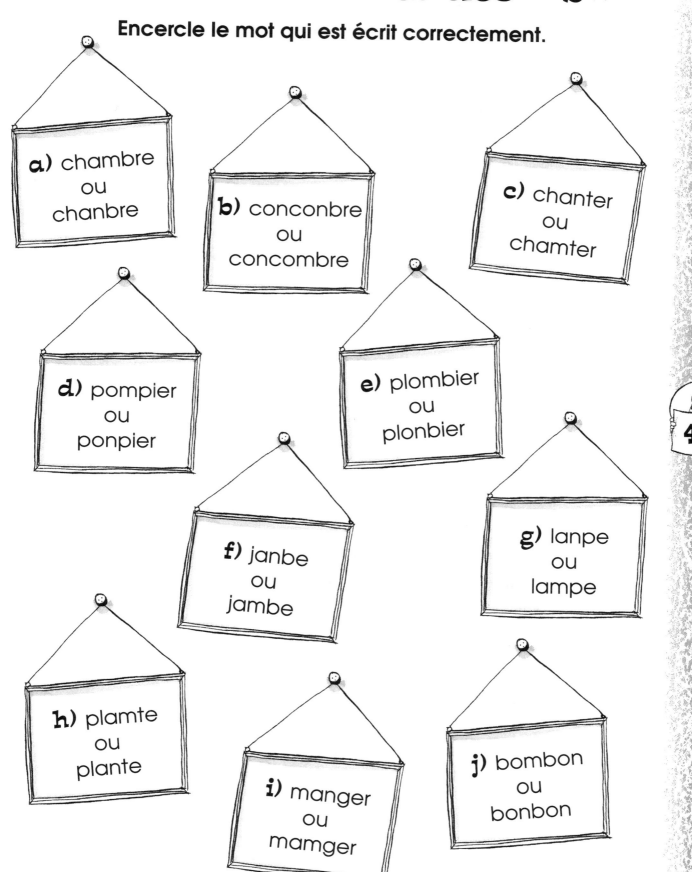

a) chambre
ou
chanbre

b) conconbre
ou
concombre

c) chanter
ou
chamter

d) pompier
ou
ponpier

e) plombier
ou
plonbier

f) janbe
ou
jambe

g) lanpe
ou
lampe

h) plamte
ou
plante

i) manger
ou
mamger

j) bombon
ou
bonbon

47

Croque-Mots vedette

1. Habille Croque-Mots pour une grande soirée de concours de chant.

2. À l'aide de la banque de mots de la page suivante, écris les vêtements et les couleurs que tu as choisis pour habiller Croque-Mots.

Vêtements	Couleurs

Croque-Mots vedette (suite)

Banque de mots

espadrilles   bottes   bermuda   mauve
chapeau   souliers   jaune   noir(e)
chandail   manteau   bleu(e)   orange
jeans   t-shirt   vert(e)   rose
salopette   chemise   rouge

L'hiver de ma vie

Des mots... encore des mots !

policier

découper

foulard

foyer

hamster

dentiste

souris

ciseaux

chameau

51

À la recherche des objets cachés

Croque-Mots a caché des objets d'hiver dans sa chambre.
À l'aide des indices de la page suivante,
aide-le à trouver les endroits où sont cachés
les objets d'hiver.

À la recherche
des objets cachés (suite)

**Lis les petites devinettes et trouve où sont cachés
les objets en indiquant la bonne lettre.**

1. Elle est dans le coin de la chambre.
Ce coin est bien éclairé. Où est ma tuque ?

2. Mes patins sont cachés sous un objet fait en bois.
Cet objet est près d'un autre objet à quatre pattes.

3. Mes gants sont sous un objet où il fait bon se
reposer. Où sont-ils ?

4. Il n'y a pas de robes dans l'endroit où sont
cachés mes skis.

5. Mon foulard est caché parmi tous mes jouets.
Où est-il ?

Écris les noms des 5 endroits que tu devais trouver.

1. _____

2. _____

3. _____

4. _____

5. _____

Des rébus amusants

Trouve les mots cachés à l'aide
des illustrations ci-dessous.

1. _____

table
bague
maison

2. _____

3. _____

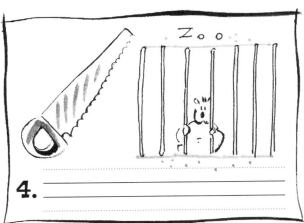

4. _____

5. _____

6. _____

54

Youpi !
De nouvelles lettres !

Youpi !
J'apprends enfin mes
lettres attachées.

Trace les lettres en suivant les pointillés.

a = _a_   n = _n_

b = _b_   o = _o_

c = _c_   p = _p_

d = _d_   q = _q_

e = _e_   r = _r_

f = _f_   s = _s_

g = _g_   t = _t_

h = _h_   u = _u_

i = _i_   v = _v_

j = _j_   w = _w_

k = _k_   x = _x_

l = _l_   y = _y_

m = _m_   z = _z_

Une journée en hiver

Lis ce texte sur l'hiver et trouve trois noms communs pour chaque catégorie.

J'adore marcher dans la neige poudreuse avec mon gros chien gris. Souvent, je m'amuse à lancer des balles de neige à mon grand frère. Une chance que ma mère et mon père ne s'aperçoivent pas de notre petit jeu. Une fois la journée terminée, j'aime me retrouver devant le foyer avec un bon chocolat chaud, entouré de mon chat et de mon hamster.

personnes	animaux	choses

Le coin des lettres

Recopie les lettres.

a a

a

b b

b

arbre

bonbon

Un petit mot dans un grand mot

Trouve le petit mot qui se cache dans les mots que tu lis.

Exemple :

1. théière : _thé_

2. ourson :

3. automobile :

4. magasinage :

5. maisonnette :

6. amical :

7. gouttelette :

8. encouragement :

9. dentiste :

10. signalisation :

Le coin des lettres

Recopie les lettres.

c · c ·

c ·

d · d ·

d ·

collier

dent

Des mots... encore des mots !

électricien

concierge

directeur

bibliothèque

balançoire

raquette

motoneige

patin

skis

58

Des mots irremplaçables ?

Lis les phrases et regarde attentivement les mots encerclés.
Choisis le mot qui peut les remplacer.

1. Lina se balance sur une balançoire.
(Elle) s'élance vivement.

Elle :
_____

2. Justin aime la bibliothèque de son école.
(Il) préfère les livres de science-fiction.

Il :
_____

3. Le jardin de ma mère est tout en fleurs.
(Elle) s'en occupe à tous les jours.

Elle :
_____

4. Les animaux de ce zoo sont très bien
nourris. (Ils) mangent plusieurs fois dans la
même journée.

Ils :
_____

59

5. Les copines de mon village aiment bien
le cinéma. (Elles) adorent les films
d'action.

Elles :
_____

Le coin des lettres

Recopie les lettres.

e . e _____

e _____

f . f _____

f _____

école

foulard

Un exercice de qualité

Souligne les adjectifs qualificatifs (mots de qualité) que tu lis dans ce court texte.

Ma meilleure amie.

Mahée est une fille sensationnelle. Hier, nous jouions ensemble dans la belle neige blanche. Tout à coup, j'ai remarqué que j'avais perdu mon beau foulard bleu. J'étais triste. Mahée m'a consolé avec son magnifique sourire. Le lendemain, elle m'a fait une surprise. Elle m'a acheté un nouveau foulard. Il est rouge et il est très chaud. Je suis chanceux d'avoir une bonne amie. Elle pense toujours à moi.

Le coin des lettres

Recopie les lettres.

grenouille

g g

g

h h

h

hache

Des phrases d'hiver

**Enrichis les phrases à l'aide des adjectifs qualificatifs
(mots de qualité) que l'on te suggère.**

1. Mes lames de patins sont
   bien _____ .

2. Ma sœur est _____ car elle
   n'a pas reçu de cadeaux.

3. Samuel s'est _____ en faisant
   une chute de ski alpin.

4. J'ai une _____ traîne sauvage.

5. Mon cousin est _____ car il aime se promener
   en raquettes.

6. J'aime patiner sur le lac _____ .

7. Le nez de mon bonhomme de neige est _____ .

8. J'ai les joues _____ quand je joue dehors
   l'hiver.

9. Même l'hiver, le soleil reste _____ .

10. Mon père s'achètera une motoneige _____ .

> longue
> aiguisées
> éblouissant
> joyeux
> froides
> déçue
> glacé
> jaune
> pointu
> blessé

61

Code secret... Chut !

Pour que le génie sorte de la lampe, tu dois trouver la phrase magique.

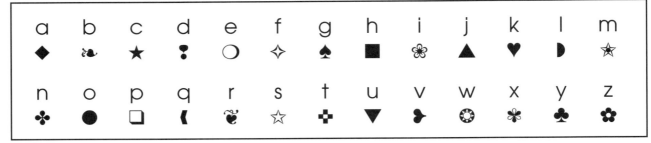

Phrase magique

Le coin des lettres

Recopie les lettres.

image

jupe

62

Une glissade en syllabes

Trouve deux mots qui contiennent les syllabes suivantes.

Exemple :
ta

tapis

ra

ma

la

sa

fa

63

Le coin des lettres

Recopie les lettres.

_k_ •_k_

•_k_

_l_ •_l_

•_l_

koala

lampe

Le « s » du pluriel

Encercle le mot qui convient dans chaque phrase.

Les $\quad$ garçons
$\qquad$ ou $\qquad$ s'amusent dans la neige.
$\qquad$ garçon

Le $\quad$ directeur
$\qquad$ ou $\qquad$ prépare le carnaval d'hiver.
$\qquad$ directeurs

Plusieurs $\quad$ concierges
$\qquad$ ou $\qquad$ nettoient le gymnase.
$\qquad$ concierge

L' $\quad$ électricien
$\qquad$ ou $\qquad$ répare la lampe du bureau.
Les $\quad$ électriciens

64

Des $\quad$ secrétaires
$\qquad$ ou $\qquad$ répondent au téléphone à l'école.
$\qquad$ secrétaire

Un $\quad$ dentiste
$\qquad$ ou $\qquad$ rencontre les élèves de ma classe.
$\qquad$ dentistes

Le coin des lettres

Recopie les lettres.

m m

n n

montre

nuage

Des mots... encore des mots !

chameau

forêt

montagne

pissenlit

soulier

dromadaire

casquette

campagne

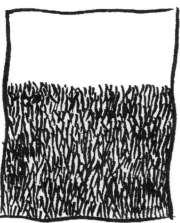

gazon

Des mots et des phrases

Compose 6 belles phrases avec les mots de la page 65.

1.

2.

3.

4.

5.

6.

Le coin des lettres

Recopie les lettres.

ŏ   ŏ

ŏ

p   p

p

oiseau

parapluie

De nouveaux mots !

Complète les mots de la phrase en ajoutant
« s » ou « ss ».

1. Loui___e gli___e sur une pente de ski.

2. Gi___èle care___e l'ourson de sa nièce.

3. Deni___e pare___e au soleil du midi.

4. Les enfants li___ent un livre d'histoire.

5. Le pi___enlit pou___e dans le gazon.

6. Li___ette adore la mou___e aux fraises.

7. Vincent mange souvent de la régli___e.

8. Mary___e est ma meilleure amie.

9. Marie va à l'égli___e tous les dimanches.

Le coin des lettres
Recopie les lettres.

q   q

q

r   r

r

quille

roue

Une folie avec les mots

Lis le mot et fais un **X** dans la bonne colonne pour déterminer s'il est masculin, féminin, singulier ou pluriel.

	masculin	féminin	singulier	pluriel
un parapluie				
une raquette				
une montagne				
des lacs				
la forêt				
quatre chemins				
un soulier				
des chansons				
une boussole				
deux casquettes				

68

Le coin des lettres

Recopie les lettres.

s . s

l .

t . t

l .

soulier

tortue

Une mémoire d'éléphant

Trouve trois mots commençant par la lettre
qui est dans l'oreille de chaque éléphant.
Amuse-toi à les mettre en ordre alphabétique.

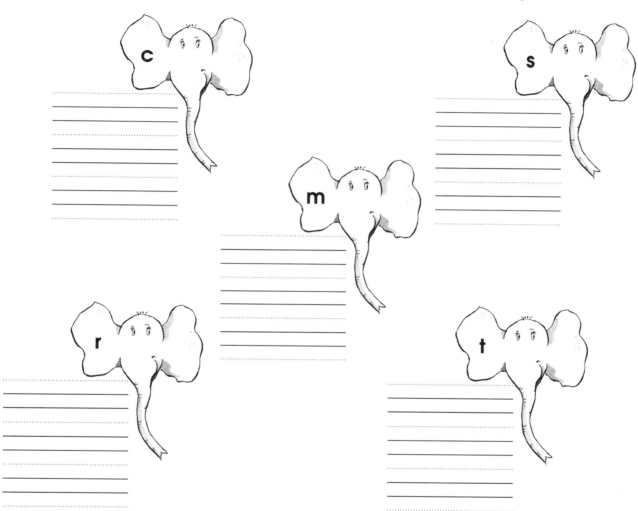

Le coin des lettres

Recopie les lettres.

usine

vache

Chameau ou dromadaire?

Lis attentivement le texte qui suit. Ensuite, réponds aux questions de la page suivante.

Les chameaux et les dromadaires font partie de la même famille. Connais-tu la différence entre un chameau et un dromadaire? C'est simple! Tu dois regarder attentivement leur dos. Le chameau a deux bosses sur son dos. Le dromadaire, lui, n'a qu'une seule bosse. Contrairement à toi, le chameau et le dromadaire peuvent passer presque trois semaines sans boire une seule goutte d'eau et ils sont quand même en pleine forme! Lorsqu'ils arrivent au puits pour boire, ils peuvent absorber près de 100 litres d'eau en moins de 10 minutes. C'est ce qui leur permet de pouvoir résister à la soif et à la chaleur pendant si longtemps.

Croque-Questions

1. De quels animaux parle-t-on dans le texte ?

_____   _____
_____   _____

2. Les chameaux et les dromadaires peuvent passer presque cinq semaines sans boire d'eau.

Vrai ou faux ?   _____

3. Les chameaux et les dromadaires font partie de la même famille.

Vrai ou faux ?   _____

4. J'ai deux bosses sur mos dos.

Qui suis-je ?   _____

5. Trouve 3 noms dans le texte.

_____   _____   _____

6. Trouve 2 mots de 7 lettres dans le texte.

_____   _____

Le coin des lettres

Recopie les lettres.

y   y

y

z   z

z

yo-yo

zèbre

Un train de syllabes

À l'aide des « wagons-syllabes »,
forme le plus de mots possible.

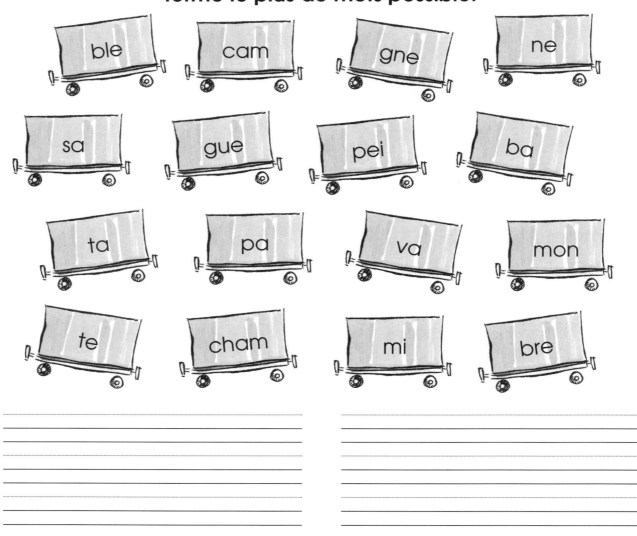

72

_____   _____
_____   _____
_____   _____
_____   _____
_____   _____
_____   _____
_____   _____
_____   _____

Le coin des lettres
Recopie les lettres.

w · w

· w

x · x

· x

wagon

xylophone

Dans le temps des grands-parents

Des mots... encore des mots !

cousin

aigle

canard

famille

disque

course

amoureux

pinceau

bouche

Hier, aujourd'hui ou demain?

Lis les phrases et indique par un crochet (✔) si elles parlent d'<u>hier</u>, d'<u>aujourd'hui</u> ou de <u>demain.</u>

	hier ←	aujourd'hui ↓	demain →
Ma grand-mère portait un uniforme pour aller à l'école.			
Je joue à un jeu à l'ordinateur.			
Mon grand-père a les cheveux blancs.			
Demain, ma mère remettra son livre à la bibliothèque.			
Ce soir, je dormirai chez mon cousin.			
L'an dernier, ma chatte accouchait de cinq chatons.			

75

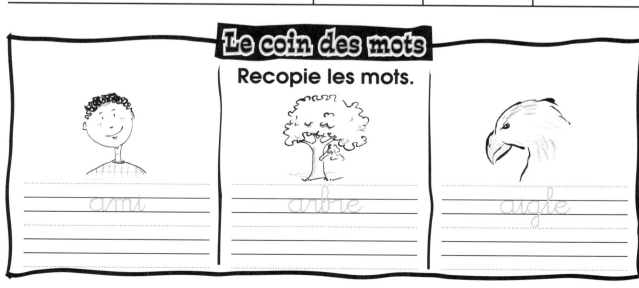

Le coin des mots

Recopie les mots.

ami

arbre

aigle

a ressemblance des lettres

Relie par un trait les mêmes lettres de l'alphabet.

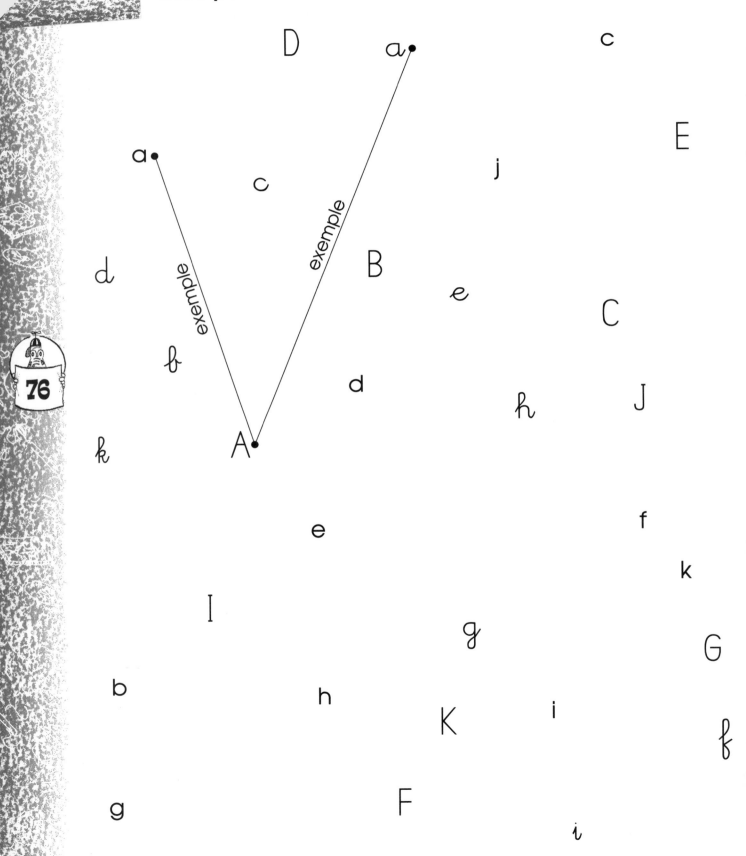

La ressemblance des lettres
(suite)

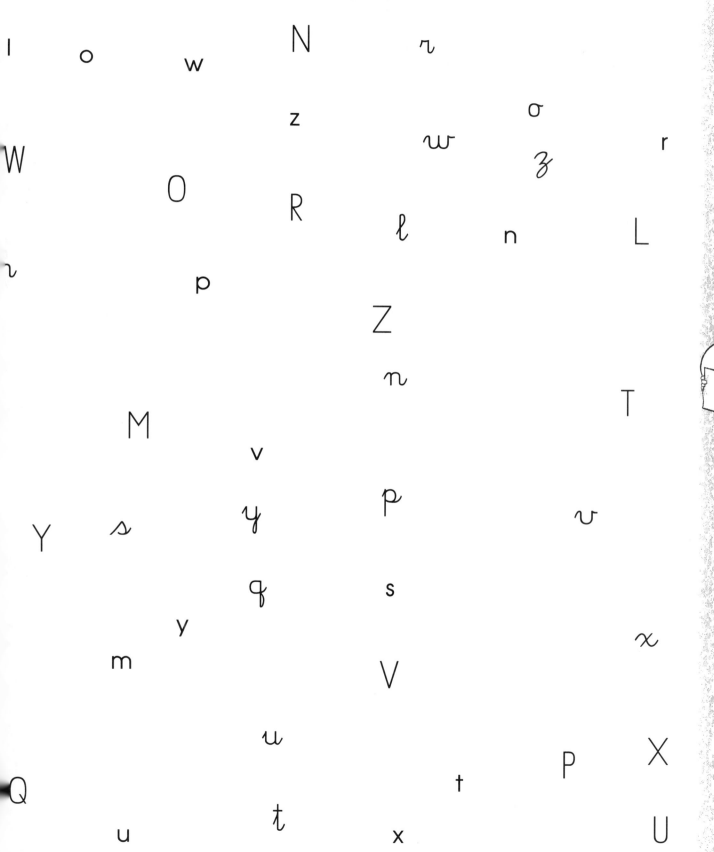

Un horaire très chargé

J'ai une journée chargée et je dois me dépêcher.

Aide Croque-Mots à placer les aiguilles sur les horloges.

À 7 heures, je me lève. Je m'habille et déjeune. Vers 8 heures, je commence à travailler avec mon grand-père. Nous devons repeindre sa grange. C'est une grande aventure ! C'est la première fois que je tiens un gros pinceau dans mes mains. À 12 heures, nous dînons dans le champ. À la fin de l'après-midi, je suis fatigué. Je me couche à 18 heures. Quelle journée !

78

Je me lève à :	Je dîne à :	Je travaille à :	Je me couche à :
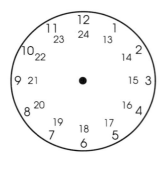	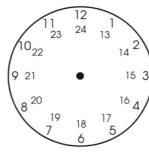	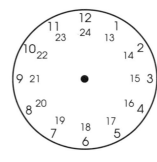	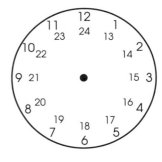

Le coin des mots

Recopie les mots.

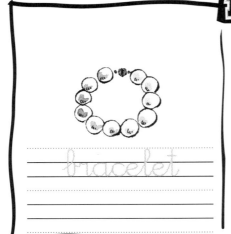

bracelet

bouche

bouteille

On s'amuse avec les phrases !

Compose 6 phrases avec les mots de la page 74.
Attention ! N'oublie pas qu'une phrase commence
par une majuscule et se termine par un point.

1.

2.

3.

4.

5.

6.

Le coin des mots

Recopie les mots.

canard

cahier

cou

Une famille unie

chanter

Classe les mots ci-dessous dans les maisons de la même famille.

courir

aimer

voir

amour	course	chanson
vue	amoureux	vision
coureur	chant	amourette

Le coin des mots

Recopie les mots.

dent

disque

doigt

Des mots... encore des mots !

points cardinaux

soleil

légumes

pain

écureuil

phoque

corbeille

taille

citrouille

Les points cardinaux

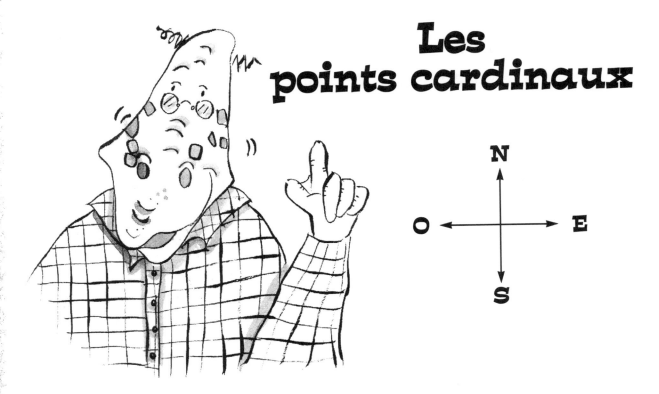

À quoi servent les points cardinaux ?

Tu sais, mon cher Croque-Mots, que les principaux points cardinaux sont le nord, le sud, l'est et l'ouest. Ces points cardinaux servent de repères qui permettent de s'orienter. Ils sont très utiles pour savoir comment se rendre à certains endroits. Savais-tu que le soleil se lève à l'est et se couche à l'ouest ? À midi, il est au sud. On n'aperçoit jamais le soleil au nord.

Amuse-toi à trouver les points cardinaux dans ta classe !

Croque-Pépé questionne

Peux-tu m'aider
à répondre
aux questions
de mon grand-père ?

1. Quels sont les quatre points cardinaux ?

2. À quoi servent les points cardinaux ?

3. Le soleil se lève à l'est. Vrai ou faux ? _____

4. Complète la phrase.

   « On n'aperçoit jamais le soleil au _____ . »

5. Trouve dans le texte un mot de même famille

   que le mot « ensoleillé ». _____

Le coin des mots

Recopie les mots.

école

enfant

écureuil

L'horloge de Croque-Mots

**Lis les consignes suivantes et
contruis toi-même ton horloge.**

Voici le matériel
dont tu as besoin :

* assiette de carton
* attache parisienne
* ciseaux
* colle

Comment procéder :

1. À l'aide de tes ciseaux, découpe le cercle qui sera le cadran de l'horloge.

2. Découpe les chiffres et les aiguilles.

3. Colle sur le cercle de l'assiette le cadran et les chiffres.

4. Fais un trou au milieu de l'assiette et fixe les deux aiguilles avec ton attache parisienne.

L'horloge de Croque-Mots
(suite)

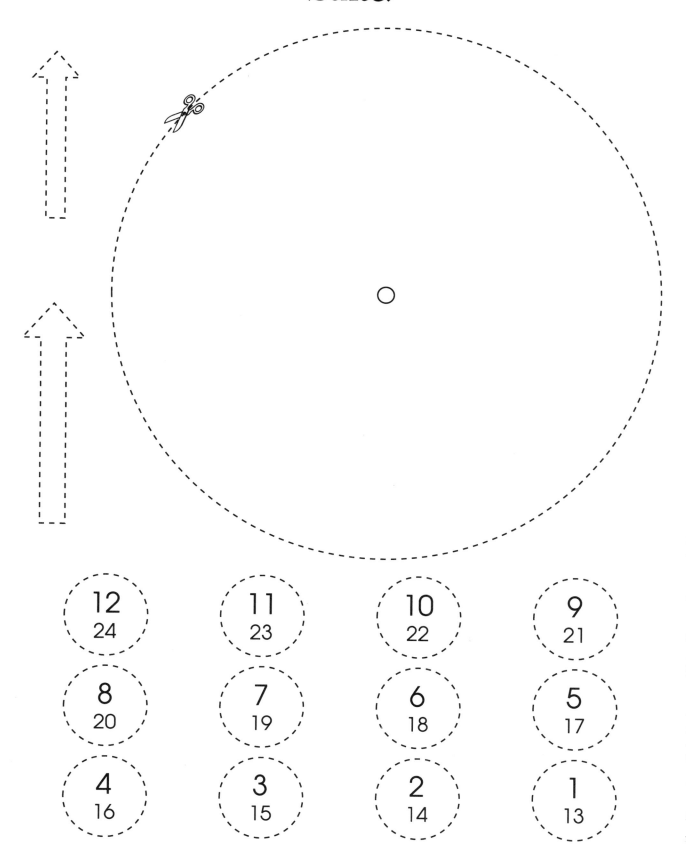

12	11	10	9
24	23	22	21

8	7	6	5
20	19	18	17

4	3	2	1
16	15	14	13

La leçon de Croque-Mémé

**Observe bien les mots et
ajoute « le » ou « les » devant ceux-ci.
Pour t'aider, tu peux faire le jeu des lunettes.**

Exemple :

les fruits

_____ macaroni

_____ légumes

_____ pain

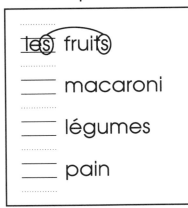

_____ chandail

_____ bas

_____ pantalons

_____ veston

86

_____ castors

_____ chien

_____ zèbres

_____ caribous

_____ chat

_____ phoques

Le coin des mots

Recopie les mots.

fauteuil

foire

faucon

Mireille se bat avec la vadrouille !

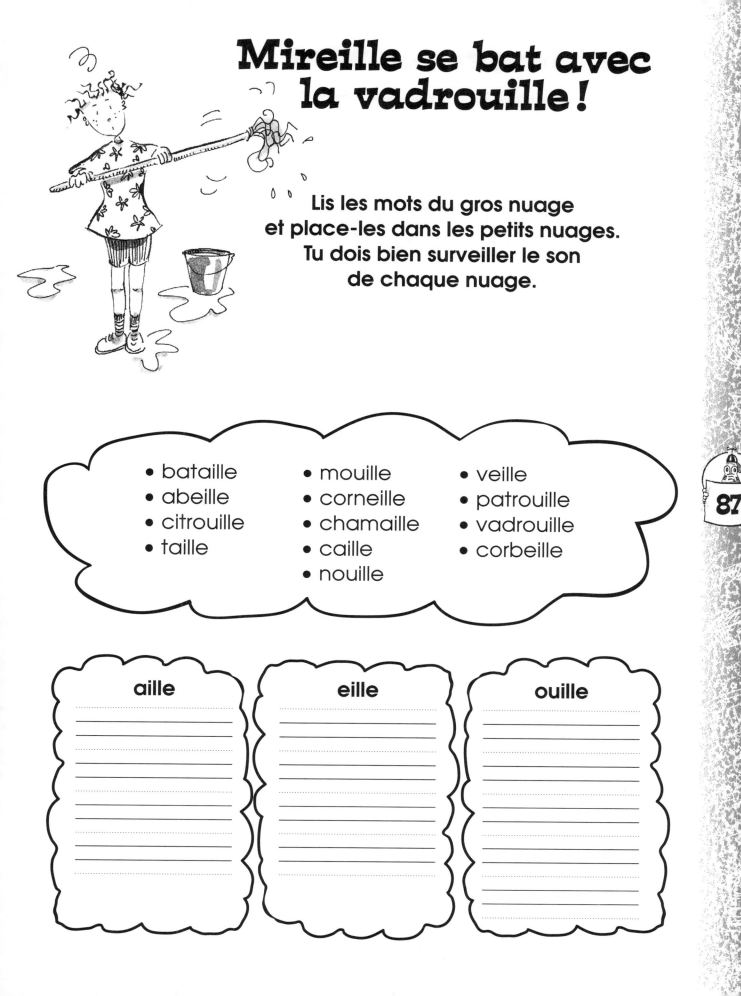

Lis les mots du gros nuage
et place-les dans les petits nuages.
Tu dois bien surveiller le son
de chaque nuage.

- bataille
- abeille
- citrouille
- taille

- mouille
- corneille
- chamaille
- caille
- nouille

- veille
- patrouille
- vadrouille
- corbeille

aille

eille

ouille

Des mots... encore des mots !

valise

journal

piano

cerise

trompette

magicien

lunettes

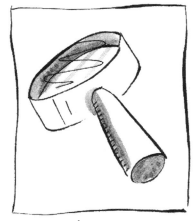

loupe

piscine

Des choix à faire

Que vais-je choisir ?

Fais un X dans le carré si la phrase représente une question.

1. Lorsque ma grand-mère était jeune, il n'y avait pas d'ordinateur à la maison.

2. Aimes-tu travailler à la ferme ?

3. Achetez-vous le journal tous les matins ?

4. Ils regardent la télévision.

5. Fais-tu ton lit chaque jour ?

Le coin des mots

Recopie les mots.

goutte

guenon

gâteau

Je me pose des questions

**Lis chacune des phrases et transforme-les
en phrases interrogatives. N'oublie pas de mettre
un point d'interrogation à la fin de chaque phrase.**

Exemple :
Tu joues du piano avec tes parents.

Joues-tu du piano avec tes parents ?

Il dort avec son doux pyjama vert.

Nous sommes heureux de rencontrer nos amies.

Vous aidez le concierge à laver les tables.

Tu préfères la crème glacée au chocolat.

Elles marchent dans un sentier ensoleillé.

90

Le coin des mots

Recopie les mots.

hibou   image   igloo

Un peu d'ordre !

**Écris les prénoms de quelques amis ou amies
et place-les en ordre alphabétique.**

Prénoms de tes amis ou amies

Filles   en ordre
alphabétique   Garçons

D'une qualité à l'autre

Trouve deux mots de qualité qui vont « embellir » le mot que l'on te donne.

Exemple :

une _____ valise _____

une surprenante valise bleue

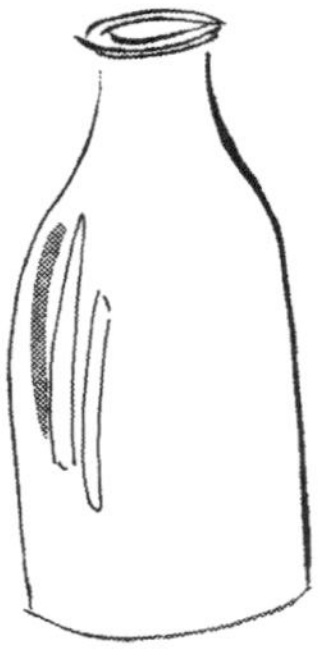

la

_____

_____

bouteille

_____

_____

le _____ train _____

une _____ montre _____

une _____

piscine _____

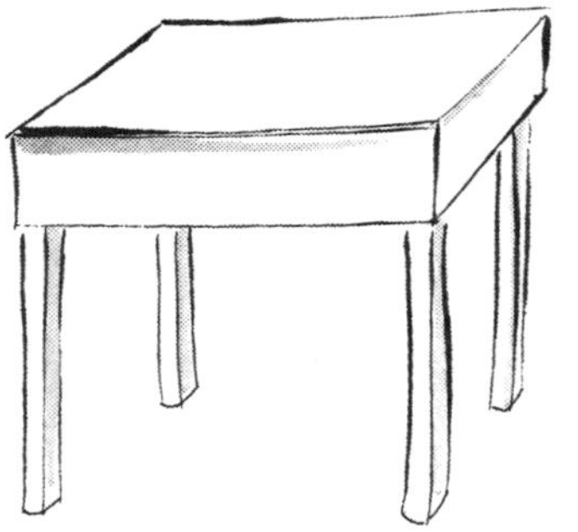

une

_____

_____

table

_____

_____

une _____ fleur _____

On passe à l'action

**Encercle les mots d'action (verbes)
que tu vois dans chaque phrase.**

1. Andréa et Sophie parlent au téléphone.

2. Patrice et Julie courent dans le champ.

3. Ma sœur chante et parle dans un micro.

4. Marie-Josée et Pierre bricolent au sous-sol.

5. Mon professeur de musique explique les consignes.

6. David et Isabelle mangent une tarte aux cerises.

Danser, jouer, sauter, dessiner...
Ce sont mes activités préférées.

Le coin des mots

Recopie les mots.

jouer

jujube

koala

La mélodie des mots

**Dans le texte ci-dessous, trouve les noms,
les mots de qualité et les mots d'action.**

Mon grand-père joue de la trompette. Il apporte souvent son superbe instrument à la maison. J'apprends où mettre mes petits doigts et ma bouche. C'est très difficile et ça chatouille les lèvres. Un jour, je ferai peut-être de beaux concerts...
D'ici là, mon « pépé » a encore beaucoup de notes à m'apprendre. Et toi, joues-tu d'un instrument de musique ?

Noms	Mots de qualité (adjectifs qualificatifs)	Mots d'action (verbes)

Le coin des mots
Recopie les mots.

toupe   lapin   lunettes

Des petites charades amusantes

Mon premier est un animal qui ronronne.

Mon deuxième est un contenant où l'on met des fleurs.

Mon tout est ce que l'on peut mettre sur la tête.

Réponse :

Mon premier est ce qui recouvre ton corps.

Mon deuxième est le contraire de rugueux.

Mon tout arrête les voleurs.

Réponse :

Mon premier est un mets chinois.

Mon deuxième est une partie du corps.

Mon tout est ce que l'on met devant une fenêtre.

Réponse :

Le coin des mots

Recopie les mots.

magicien

moutarde

marteau

L'école est finie, youpi!

Des mots... encore des mots !

goutte

quille

poule

informatique

guitare

quenouilles

heure

gomme

genou

Les frères « g »

Classe les mots suivants dans la colonne
du « g » doux ou du « g » dur.
N'oublie pas que le « g » doux se prononce
comme dans le mot <u>gentil</u> et le « g » dur se prononce
comme dans <u>guirlande</u>.

gomme

garage

gorge

gentille

girafe

goutte

givre

gazon

guitare

genou

geai bleu

geste

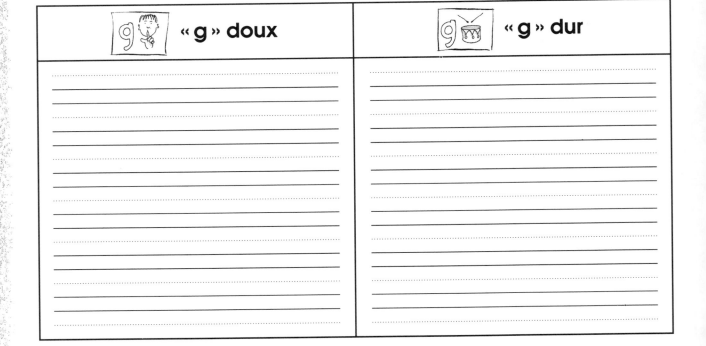

« g » doux	« g » dur

Quelle heure est-il?

1. Écris l'heure dans le petit rectangle sous chaque cadran.
Regarde bien l'exemple.
Exemple :

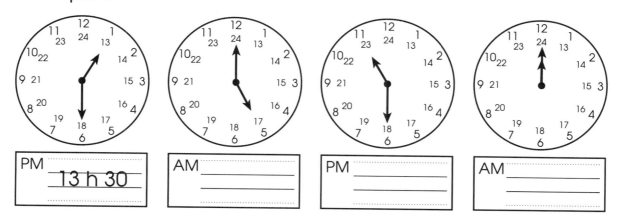

PM
_13 h 30_

AM

PM

AM

2. Place les aiguilles maintenant.

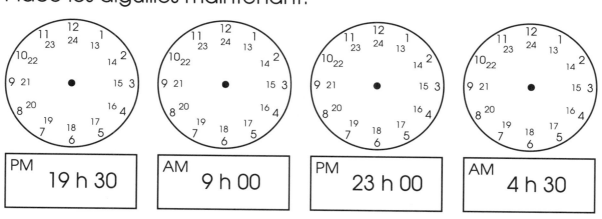

PM
19 h 30

AM
9 h 00

PM
23 h 00

AM
4 h 30

99

Le coin des mots
Recopie les mots.

nuage

nouille

noir

Une histoire sans fin

**Ajoute les majuscules et les points
qui manquent dans cette histoire.**

mon ami Croque-Mots a réussi ses examens il est très fier de lui son papa veut lui offrir une belle surprise il va le chercher après l'école pour l'amener au centre commercial quelle surprise son papa a décidé de lui acheter une superbe bicyclette Croque-Mots est content car il souhaitait avoir une bicyclette depuis longtemps

Le coin des mots

Recopie les mots.

orage

omelette

ours

Des mots savants

Lis attentivement les phrases et place les chiffres sous l'horloge du passé, du présent ou du futur.

passé	présent	futur

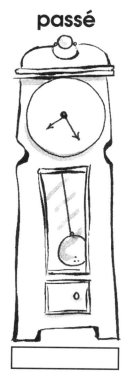  

1. Croque-Mami répare l'automobile du voisin.
2. Croque-Puces mangera après le souper.
3. Croque-Lulu a déchiré sa jupe verte.
4. Croque-Mots a bien étudié pour son dernier examen.
5. Croque-Papi sera la vedette d'une émission télévisée.
6. Croque-Bulles écrit une lettre à son grand-père.

Le coin des mots

Recopie les mots.

poule

pied

patate

La famille des mots

**Trouve les petits mots qui sont cachés dans les grands mots.
Observe bien l'exemple.**

Exemple :

1. amusement

   amuse

2. rechercher

3. largement

4. chanteur

5. encadrement

6. fruitier

7. cartonner

8. follement

9. cabinet

10. plantation

11. asperger

12. agencement

13. rassemblement

14. recommencement

15. ameublement

16. amoureux

17. détour

18. remarque

19. relier

20. recoller

102

Le coin des mots

Recopie les mots.

4

quatre

quille

quenouilles

On s'amuse de plus en plus !

Compose 6 phrases à l'aide des mots de la page 97.
Utilise de beaux mots d'action (verbes).

1. _____

2. _____

3. _____

4. _____

5. _____

6. _____

Le coin des mots

Recopie les mots.

roue

râteau

rêve

Des mots... encore des mots !

fenêtre

garage

printemps

calendrier

bulles

vêtements

foire

village

maison

Un jeu piquant !

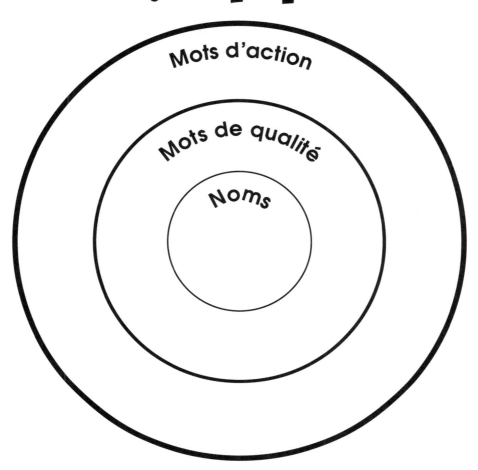

Mots d'action

Mots de qualité

Noms

Indique le numéro de chaque fléchette
dans chaque catégorie de la cible :
noms, mots de qualité ou mots d'action.

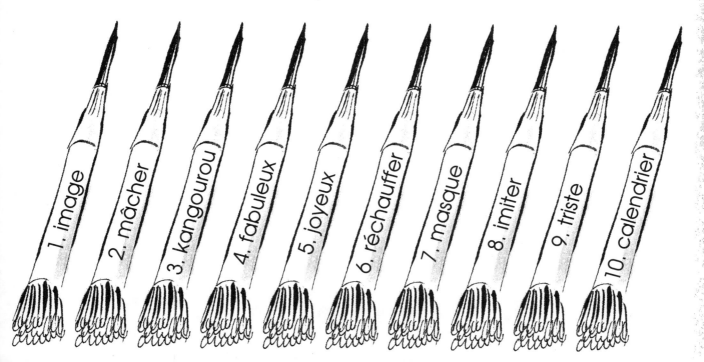

1. image
2. mâcher
3. kangourou
4. fabuleux
5. joyeux
6. réchauffer
7. masque
8. imiter
9. triste
10. calendrier

Le grand ménage du printemps

**Regarde l'image et lis le texte qui suit.
Puis, réponds aux questions de la page suivante.**

C'est le grand ménage du printemps chez la famille de Croque-Mots. Tout le monde met la main à la pâte. Croque-Lulu lave les fenêtres. Croque-Papi ratisse le gazon. Croque-Mami peint la galerie. Croque-Mots range les skis dans le garage. Croque-Puces saute dans un tas de feuilles pendant que Croque-Lune grimpe dans l'arbre. Croque-Bulles, lui, nettoie la voiture. Tout le monde travaille fort sous le chaud soleil du printemps.

Le grand ménage du printemps
(suite)

Questions à propos du texte.

Exemple :

1. Que fait Croque-Mots ? _Il range les skis dans le garage._

2. Que fait Croque-Lulu ?

3. Que fait Croque-Puces ?

4. Que fait Croque-Mami ?

5. Que fait Croque-Lune ?

6. Que fait Croque-Bulles ?

7. Que fait Croque-Papi ?

Le coin des mots

Recopie les mots.

salon

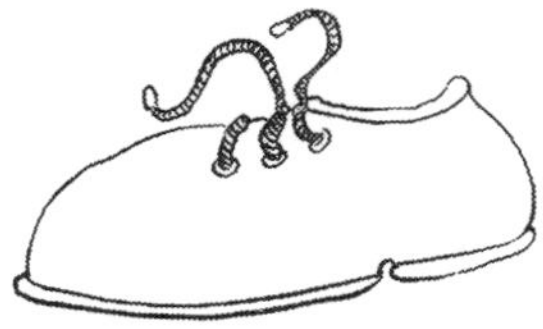

soulier

savon

Une histoire étourdissante

Lis chaque étape de cette histoire étourdissante.
Sur la page suivante, associe le numéro de l'étape
à l'image correspondante.

1

Youpi ! J'ai reçu deux
billets pour aller à la foire
du village.

2

J'ai tout de suite
appelé mon ami Alex
pour l'inviter.

3

Nous sommes partis en
voiture avec mes parents sur
un joli chemin de campagne.

4

Arrivés à la foire, nous
nous sommes dirigés vers
la grande roue.

5

Alex avait très peur
d'embarquer.

6

Nous avons décidé
d'aller à la
maison hantée.

7

C'était vraiment
effrayant.

8

Finalement, nous avons
terminé cette magnifique
journée en mangeant
une succulente pomme
enrobée de sucre d'orge.

108

Le coin des mots

Recopie les mots.

| un | usine | urgence |

Une histoire étourdissante (suite)

La foire

Un choix difficile...

Lis chaque phrase et dis si tu aimes ou pas ce que Croque-Mots te propose.

Exemple :

J'aime les spaghettis à la sauce tomate.

Et toi ?

Moi aussi j'aime _les spaghettis à la sauce tomate._

ou

Non, moi je n'aime _____

J'aime prendre mon bain avec des bulles.

Et toi ?

Moi aussi j'aime _____

ou

Non, moi je n'aime _____

110

J'aime m'amuser avec mon chien.

Et toi ?

Moi aussi j'aime _____

ou

Non, moi je n'aime _____

Le coin des mots

Recopie les mots.

tortue

train

toupie

Des mots... encore des mots !

crapaud

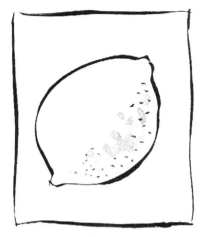

citron

insectes

fourmi

abeille

mouche

cinéma

Janvier, février,
mars, avril,
mai, juin,
juillet, août,
septembre,
octobre,
novembre,
décembre.

mois

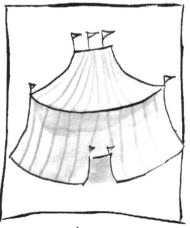

cirque

Les frères « c »

Classe les mots suivants dans la colonne
du « c » doux ou du ☒ « c » dur.
N'oublie pas que le « c » doux se prononce
comme dans le mot <u>cigale</u> et le « c » dur se prononce
comme dans <u>cornet</u>.

ciboulette

cirque

corneille

cinéma

crapaud

citron

concombre

citrouille

ciel

cousin

coccinelle

calendrier

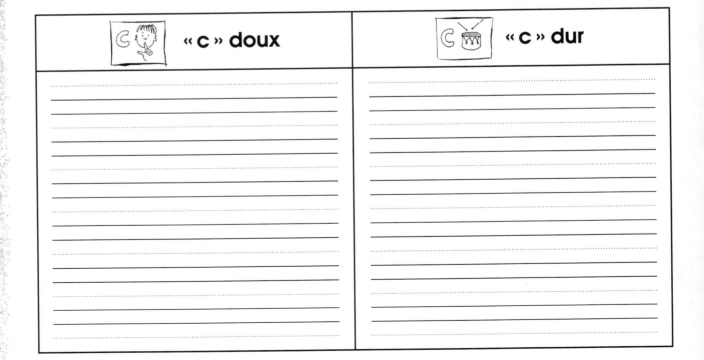

☺ « c » doux	☒ « c » dur

Les douze mois de l'année sont...

1. Place les lettres des mois dans le bon ordre.

mevnoerb : _____   mia : _____

ûtao : _____   rebsepemt : _____

rievnaj : _____   rerivéf : _____

rams : _____   oterbco : _____

lvria : _____   njiu : _____

llietju : _____   erbmecéd : _____

2. Quel est ton mois préféré ?
Explique pourquoi.

Mon mois préféré est _____

parce que _____
_____
_____

113

Le coin des mots

Recopie les mots.

valise   voisins   wagon

Un match très surprenant

Observe bien les amis qui assistent
au match de baseball.

Camille   Gérard   Mike   Tom   Alexis   Pauline

Francine   Dave   Stéphia   Karen   Julia   Benjamin

Virgile   Jack   Marie-Lou   Gisèle   Neil   Sandra

114

Un match très surprenant
(suite)

Questions à propos du match

1. Trouve et écris le nom des garçons qui observent le match.

_____   _____   _____
_____   _____   _____
_____   _____   _____

2. Trouve et écris le nom des filles qui observent le match.

_____   _____   _____
_____   _____   _____
_____   _____   _____

3. Qui est assis à droite de Tom ? _____

4. Qui est assis à gauche de Marie-Lou ? _____

5. Qui est assis entre Karen et Benjamin ? _____

6. Qui est assis derrière Dave ? _____

7. Qui est assis devant Francine ? _____

8. Combien y a-t-il de personnes qui assistent au match ?

_____

Jouons avec les mois

Nomme deux activités que tu peux faire pour chaque mois de l'année.

janvier	février	mars

avril	mai	juin

juillet	août	septembre

octobre	novembre	décembre

Le coin des mots

Recopie les mots.

xylophone

yeux

zoo

Croisons les insectes

4

p

1

f

3 c

2

1 m   c

3   **2** a

m

4 s

117

Horizontal
1. On m'attrape avec un tue-mouches.
2. Je fabrique du miel.
3. J'ai un manteau rouge avec des points noirs.
4. Je suis verte et je saute partout.

Vertical
1. Je chatouille et je suis minuscule.
2. Je chante fort quand il fait beau.
3. Je suis agaçant la nuit et je pique les gens.
4. J'ai de belles ailes soyeuses, pleines de couleurs.

Une belle recherche

Choisis un insecte et réponds aux questions suivantes.

Nom de mon insecte : _____

Les caractéristiques	Oui	Non	Je ne sais pas.
Mon insecte a des pattes.			
Mon insecte a des ailes.			
Mon insecte a des antennes.			
Mon insecte a des yeux.			
Mon insecte pique.			
Mon insecte a une reine.			
Mon insecte pond des œufs.			
Mon insecte est utile pour les humains.			
Mon insecte produit des aliments que peuvent manger les humains.			

Si tu as plus d'informations à donner, écris-les ici.

_____
_____
_____

Dessin de ton insecte

Un été tout en beauté !

Des mots... encore des mots !

confiture

canon

marguerite

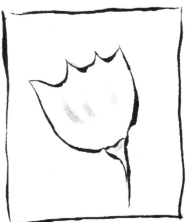

tulipe

poisson

docteur

coiffeuse

voiture

chemin

Les thèmes de l'été

Écris une courte histoire en choisissant un des thèmes suivants.

Thèmes :
- Ma visite au zoo.
- Une dispute entre amis.
- Une baignade au soleil.

Titre : _____

_____
_____
_____
_____
_____
_____
_____
_____
_____
_____
_____

121

Le coin des phrases

Recopie les phrases.

Mon chat est noir.
_____
_____

L'oiseau vole dans le ciel.
_____
_____

Le lapin saute dans le champ.
_____
_____

Une cédille sur le bout de la langue

N'oublie pas qu'un « ç » se place toujours devant « a, o et u ».

Ajoute une cédille sous les « c » qui se prononcent « s ».

122

facon

corbeau

face

garcon

facile

confiture

recu

balancoire

canon

chevreuil

décu

Youpi!
on s'exclame!

Allô!
Ça va?

1. Encercle les points d'exclamation que tu rencontres dans ce court texte.

« Enfin ! Je peux te parler !

Je te cherchais partout ! Où étais-tu ?

J'ai besoin de ton aide ! Quoi ?

Tu dois encore repartir en voyage ? Ah bon !

J'aurais bien aimé que tu me donnes un coup de main pour laver l'auto de mon père. Oui ! Oui ! Tu peux venir me rejoindre tout de suite ! Tu partiras plus tard.

Merci beaucoup ! À plus tard ! »

2. Ajoute un point d'exclamation à la fin des phrases exclamatives ou encore, mets un point.

a) Non ! je ne veux plus jouer avec toi _____

b) Youpi ! l'école est finie _____

c) J'irai dormir chez mon ami François _____

d) Oh ! je suis très heureux d'être avec toi _____

e) Le monsieur porte un grand chapeau noir _____

Trois fois passera...

Relie chaque phrase à la bonne image.
Ajoute un « mot de qualité » à la fin de chaque phrase.

1. Huit pissenlits _____ .

2. Six tulipes _____ .

3. Treize marguerites _____ .

4. Quinze branches de muguet _____ .

5. Neuf roses _____ .

Le coin des phrases

Recopie les phrases.

Je respire une fleur.

_____
_____

Elle marche sur les cailloux.

_____
_____

Mon frère se baigne dans la piscine.

_____
_____

Des phrases garnies de « s »

Transforme les phrases du singulier au pluriel.

Exemple :
Une petite voiture bleue roule dans la rue.

Des petites voitures bleues roulent dans les rues.

La jolie fille s'amuse avec sa copine.

_____ .

Un mignon poisson rouge nage dans la rivière.

_____ .

Un gros camion vert circule sur le chemin.

_____ .

Le gentil docteur soigne un patient.

_____ .

La coiffeuse coupe un long cheveu.

_____ .

Le coin des phrases

Recopie les phrases.

J'aime me promener en bicyclette.

_____

Croque-Puces court après un papillon.

_____

Le soleil me caresse le dos.

_____

Des mots... encore des mots !

éclair

cartes

fruits

fraise

kiwi

arachides

saumon

détergent

fromage

126

Une pluie de mots

Place les mots qui sont dans les gouttelettes dans les phrases qui suivent.

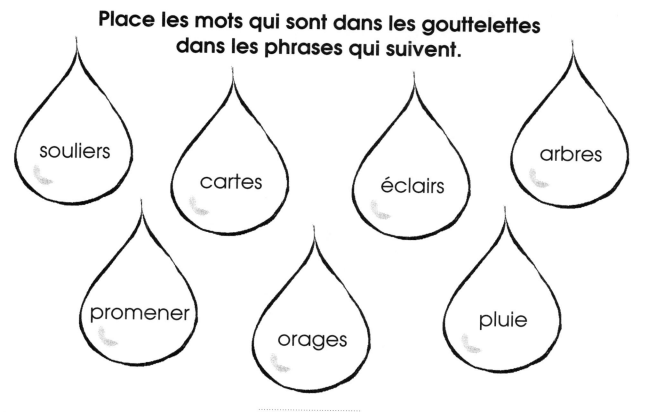

1. J'aime bien jouer aux _____ quand il pleut.

2. Mon amie Channet regarde la _____ qui tombe dans la rue.

3. Les _____ ont de belles feuilles vertes et mouillées.

4. Vite ! Vite ! Je dois marcher plus vite avec mes beaux _____ neufs... il pleut !

5. Elle adore se _____ sous la pluie avec son parapluie.

6. Quand il y a de gros _____ , on ne doit pas rester dehors.

7. Mon petit frère n'aime pas du tout les _____ .

Une sucrée de bonne idée!

Lis la recette suivante et réponds aux questions.

Salade de fruits d'été

- Coupe 3 pommes en petits morceaux.
- Taille 2 kiwis en tranches. N'oublie pas d'enlever la pelure.
- Ajoute 10 raisins verts.
- Tranche quelques fraises bien mûres.
- Mets tous les fruits dans un grand bol.
- Finalement, tu peux mettre quelques cerises avec un peu de jus de fruits.

Bon appétit!

Questions de Croque-Papi

1. Quelle est la recette proposée?
_____
_____

2. Que dois-tu faire avec les kiwis?
_____
_____

3. Où dois-tu mettre tous les fruits?
_____
_____

4. Trouve 3 mots d'action dans la recette.
_____
_____

5. Nomme 2 fruits rouges que tu peux mettre dans cette recette.
_____
_____

Le festival des arachides

Lis le court texte suivant et fais un X aux endroits où Coquin le petit écureuil a caché des arachides.

Coquin l'écureuil

Coquin, le petit écureuil malin, s'est amusé à cacher un peu partout ses arachides. Il a caché la première près d'un gros pommier. Ensuite, il en a mis une autre sous un banc. Il a continué son chemin et a placé une arachide près d'une bicyclette. Enfin, il a terminé sa route en laissant sa plus grosse noix à côté du pied du petit garçon frisé.

Quel taquin, ce Coquin.

Un collier de coquillages

Reconstruis le collier de coquillages
et tu découvriras où Croque-Mots avait acheté ce collier.
Écris ensuite la phrase.

 ce joli

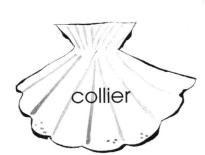 collier

 a acheté

 l'été dernier

 en Floride

 Croque-Mots

Phrase :

_____

_____

_____

_____

_____

Le coin des phrases

Recopie les phrases.

La natation est mon sport favori.

_____

_____

Ma mère a planté des légumes dans le jardin.

_____

_____

J'adore ta nouvelle coupe de cheveux.

_____

_____

Un jeu payant !

Rassemble plusieurs lettres afin d'obtenir un mot
avec le nombre de points qu'on te demande.
Tu peux reprendre la même lettre plusieurs fois.

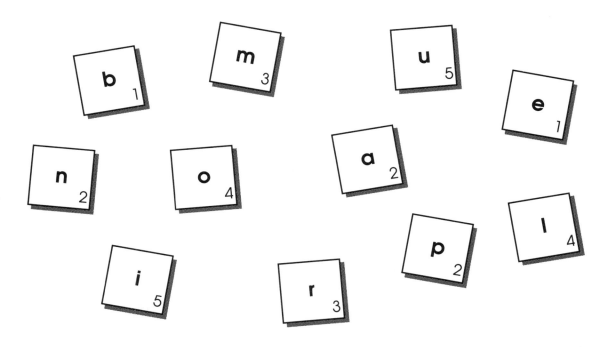

1. Trouve un mot qui te donnera 10 points.
   _____
   _____
   _____

2. Cherche un mot qui te donnera 14 points.
   _____
   _____
   _____

3. Y a-t-il un mot qui te donnera 2 points ?
   _____
   _____
   _____

4. Trouve un mot qui te donnera 11 points.
   _____
   _____
   _____

5. Trouve un mot qui te donnera 12 points.
   _____
   _____

131

L'épicerie en folie

Trouve le nombre de syllabes dans chaque mot et écris-le dans les triangles. Sépare les mots par des traits.

Exemple :

con/ser/ve
△ 3

confiture
△

banane
△

poulet
△

fromage
△

macaroni
△

saumon
△

détergent
△

Le coin des phrases

Recopie les phrases.

Mon chien aime les os.

Josianne saute à la corde à danser.

Il est bon en ski nautique.

Des mots... encore des mots !

eau

roue

bulletin

plage

tomate

livre

jupe

théâtre

voisins

133

Une tornade d'idées

Lis les 4 mots que l'on te donne et trouve 3 nouveaux mots qui vont avec ceux-ci.

Exemple :

| œuf | Je pense à | poule | oiseau | salade |

À ton tour !

soleil	Je pense à			
eau	Je pense à			
vêtement	Je pense à			
roue	Je pense à			

Le coin des phrases

Recopie les phrases.

L'enseignante donne le bulletin.

Le soleil chauffe la plage.

La voiture circule lentement.

134

À la découverte du dictionnaire

Prends un dictionnaire et trouve 3 mots qui débutent
par les lettres ci-dessous.
Écris la page où tu as trouvé ce mot.

P _____ page _____

_____ page _____

_____ page _____

S _____ page _____

_____ page _____

_____ page _____

A _____ page _____

_____ page _____

_____ page _____

T _____ page _____

_____ page _____

_____ page _____

135

Une petite révision

Coche vrai ou faux à la question que l'on te pose.

	VRAI	FAUX
On met toujours une majuscule aux noms de personnes.		
Une phrase ne contient jamais un mot d'action (verbe).		
On peut mettre un ., un **?** ou un **!** à la fin d'une phrase.		
Le mot « sauter » est un mot de qualité.		
Une phrase commence par une minuscule et se termine par un point.		

Le coin des phrases

Recopie les phrases.

Papa coupe le gazon.

Le jardinier récolte les tomates.

Un fermier apporte le lait.

136

Des mots en vacances

Remplace le mot encadré par un autre mot.
Utilise l'espace à la fin de ta phrase.

1. ⬚ Il ⬚ regarde un énorme bateau. _____

2. ⬚ Elles ⬚ chantent dans un théâtre. _____

3. ⬚ Ils ⬚ se baignent dans une piscine. _____

4. ⬚ Elle ⬚ lave la voiture des voisins. _____

5. Tu aimes le cinéma. ⬚ Il ⬚ me l'a dit. _____

6. Quand ⬚ elles ⬚ m'écoutent, je suis content. _____

7. ⬚ Il ⬚ regarde un gros livre d'histoire. _____

137

La visite
de ma correspondante

À l'aide des indices,
trouve le nom de ma correspondante.

Marie-Soleil   Caroline   Chantale   Daniella   Pierre-Luc   Emmanuelle

Stéphanie   Sarah   Tracy   Gabrielle   Dorothée   Camille

138

Indice n° 1 : Ma correspondante a les cheveux mi-longs.

Indice n° 2 : Ma correspondante n'a pas les cheveux attachés.

Indice n° 3 : Ma correspondante porte un chandail rayé.

Indice n° 4 : Ma correspondante a un nom de 9 lettres.

Qui est ma correspondante ?

_____

_____

Mon écriture a changé

Écris ces phrases en lettres cursives.

1. J'aime me faire bronzer au soleil.

_____

_____

2. Mon frère prend des cours de plongée.

_____

_____

3. Toute la famille ira aux glissades d'eau.

_____

_____

4. Nous préparons un magnifique jardin.

_____

_____

5. J'ai acheté un gros ballon de plage.

_____

_____

139

Un été bien rempli

Raconte à Croque-Mots les projets que tu veux faire cet été.
Essaie d'écrire en lettres cursives.

Projet 1 :

Projet 2 :

Projet 3 :

Que fais-tu cet été ?

Le corrigé

Page 13

b, e, f, i, j, k, p, q, r, s, u, x, z.

Page 16

1. aiguisoir ; 2. crayon ; 3. feuille ;
4. gomme à effacer ; 5. livre ;
6. pomme ; 7. règle.
1. banane ; 2. beigne ; 3. biberon ;
4. bouche ; 5. brouette ; 6. bulletin.

Page 17

Croquemopolis, Éléonore, Verte,
Des Fougères, Croque-Puces,
Latrimouille.

Page 18

Accent circonflexe : fête, pêche,
râteau, château, hôpital.
Accent grave : piège, cèdre, fermière,
collège, rivière.
Accent aigu : télévision, période, école,
féminin.

Page 22

Exemples de noms féminins : clôture,
boutique, fenêtre, rue, voiture, porte,
dame, etc.
Exemples de noms masculins : rideaux,
édifice, garçon, magasin, vêtements,
trottoir, chien, etc.

Page 23

M-F-F-F-M-M-F-M-M-M-F-M.

Page 24

1. saison ; 2. feuilles ; 3. chaudement ;
4. soleil ; 5. oiseaux ; 6. automne.

Page 26

1 syllabe : parc, feu.
2 syllabes : jeton, chemin.
3 syllabes : fenêtre, parapluie.
4 syllabes : secrétaire, directrice.
5 syllabes : automobile, électricité

Page 29

1. b ; 2. c ; 3. a ; 4. c.

Page 31

un : Mariette ; deux : Alain ; trois : Tony ;
quatre : Carolina ; cinq : Cédrick ;
six : Judith ; sept : Steven ;
huit : Huguette ; neuf : Carmen ; dix : Yan ;
onze : Clément ; douze : Roberta.

Page 32

1. chambres ; 2. brocolis ; 3. bouteilles ;
4. fauteuils ; 5. lampes ; 6. montres ;
7. chandails ; 8. étoiles ; 9. armoires.

Page 33

des spaghettis, ses parents, des repas,
des dîners, différents, des nôtres, ses
amis, les mets italiens, des pizzas, des
macaronis, des lasagnes, ces petits
plats, ses parents.

Page 36

1. un oeil ; 2. une oreille ; 3. un nez ;
4. la bouche ; 5. le cou ; 6. le bras ;
7. un coude ; 8. la tête ; 9. un doigt ;
10. la jambe ; 11. le pied ; 12. le genou.

Page 37

1. d ; 2. h ; 3. a ; 4. e ; 5. b ; 6. g ; 7. f ; 8. c.

Page 38

1. belles ; 2. savoureux ; 3. juteuses ;
4. grosse ; 5. croquants.

Page 39

1. brosse ; 2. attache ; 3. mange ;
4. regarde ; 5. dort.

Page 41

1. Croque-Papi et Croque-Mots.
2. Croque-Papi.
3. Faux.

Page 43

a) oui ; b) non ; c) oui ;
d) oui ; e) oui ; f) non.

Page 44

1. a) coloré ; b) fort ; c) étoilée ;
   d) enchantée ; vivante.

2. féminin : vivante, forte, colorée,
enchantée, étoilée.
masculin : vivant, fort, coloré,
enchanté, étoilé

Page 45
1. Je ne joue pas aux cartes avec ma cousine.
2. Ma soeur ne lit pas une histoire à ma mère.
3. Le panda géant ne mange pas des feuilles.
4. Mon père n'achète pas des pâtisseries appétissantes.
5. La fenêtre de ma chambre n'est pas brisée.

Page 46
a) courage ; b) téléphone ;
c) pompier ; d) champion ;
e) perroquet ; f) pantoufle ;
g) automatique ; h) carabine ;
i) guirlande ; j) parapluie ;
k) électrique.

Page 47
a) chambre ; b) concombre ;
c) chanter ; d) pompier ; e) plombier ;
f) jambe ; g) lampe ; h) plante ;
i) manger ; j) bonbon.

Page 53
1. d ; 2. b ; 3. e ; 4. c ; 5. a.
1. lampe ; 2. bureau ; 3. lit ;
4. garde-robes ; 5. coffre à jouets.

Page 54
1. sous + riz = souris ;
2. chat + mots = chameau ;
3. pas + rat + pluie = parapluie ;
4. scie + zoo = ciseaux ;
5. dé + cou + P = découper ;
6. pot + lit + scier = policier.

Page 56
Personnes : frère, mère, père.
Animaux : chien, chat, hamster.
Choses : neige, balles de neige, jeu, journée, foyer, chocolat.

Page 57
2. ours ; 3. auto ; 4. magasin ; 5. maison ;
6. ami ; 7. goutte ; 8. courage ; 9. dent ;
10. signal.

Page 59
1. Lina, 2. Justin, 3. mère ; 4. animaux ;
5. copines.

Page 60
sentationnelle, belle, blanche, beau, bleu, triste, magnifique, nouveau, rouge, chaud, chanceux, bonne.

Page 61
1. aiguisées ; 2. déçue ; 3. blessé ;
4. longue ; 5. joyeux ; 6. glacé ;
7. pointu ; 8. froides ; 9. éblouissant ;
10. jaune.

Page 62
Lampe magique fais sortir ton génie magnifique !

Page 64
garçons, directeur, concierges, électricien, secrétaires, dentiste.

Page 67
1. Louise, glisse ; 2. Gisèle, caresse ;
3. Denise, paresse ; 4. lisent ;
5. pissenlit, pousse ; 6. Lisette, mousse ;
7. réglisse ; 8. Maryse ; 9. église.

Page 68
parapluie : masc. sing. ;
raquette : fém. sing. ;
montagne : fém. sing. ;
lacs : masc. plur. ;
forêt : fém. sing. ;
chemins : masc. plur. ;
soulier : masc. sing. ;
chansons : fém. plur. ;
boussole : fém. sing. ;
casquettes : fém. plur.

Page 71
1. chameau et dromadaire ;
2. faux ; 3. vrai ; 4. chameau.

Page 72

Exemples de mots : chambre, montagne, table, peigne, campagne, etc.

Page 75

hier, aujourd'hui, aujourd'hui, demain, aujourd'hui, hier.

Page 78

7 heures, 12 heures, 8 heures, 18 heures.

Page 80

chanter : chant, chanson.
courir : coureur, course.
aimer : amour, amoureux, amourette.
voir : vue, vision.

Page 83

1. nord, sud, est, ouest.
2. Ils servent de repères qui permettent de s'orienter.
3. vrai.
4. nord.
5. soleil, ensoleillement.

Page 86

le macaroni, les légumes, le pain, le chandail, le ou les bas, les pantalons, le veston, les castors, le chien, les zèbres, les caribous, le chat, les phoques.

Page 87

aille : bataille, taille, chamaille, caille.
eille : abeille, corneille, veille, corbeille.
ouille : citrouille, mouille, nouille, patrouille, vadrouille.

Page 89

Questions : 2. 3 et 5.

Page 90

Dort-il avec son doux pyjama vert ?
Sommes-nous heureux de rencontrer nos amies ?
Aidez-vous le concierge à laver les tables ?
Préfères-tu la crème glacée au chocolat ?
Marchent-elles dans un sentier ensoleillé ?

Page 93

1. parlent ; 2. courent ; 3. chante, parle ;
4. bricolent ; 5. explique ; 6. mangent.

Page 94

noms : grand-père, trompette, instrument, maison, doigts, bouche, lèvres, jours, concerts, pépé, notes, instrument, musique.
mots de qualité : superbe, petits, difficile, beaux.
mots d'action : joue, apporte, apprends, est, chatouille, ferai, a, apprendre, joues.

Page 95

chat + pot = chapeau ;
peau + lisse = police ;
riz + dos = rideau.

Page 98

« g » doux : gentille, givre, genou, garage, girafe, geai bleu, geste.
« g » dur : gomme, garage, gazon, gorge, goutte, guitare.

Page 99

1. 5 h 00 ; 23 h 30 ; 0 h 00.

Page 100

Mon ami... ses examens.
Il est... de lui. Son papa... surprise.
Il va... centre commercial.
Quelle surprise. Son papa... bicyclette.
Croque-Mots... longtemps.

Page 101

passé : 3 et 4
présent : 1 et 6
futur : 2 et 5

Page 102

2. cherche ; 3. large ; 4. chant ;
5. cadre ; 6. fruit ; 7. carton ; 8. folle ;
9. cabine ; 10. plant ; 11. asperge ;
12. agence ; 13. rassemble ;
14. commence ; 15. meuble ;
16. amour ; 17. tour ; 18. marque ;
19. lier ; 20. colle.

Page 105

mots d'action : 2, 6 et 8.
mots de qualité : 4, 5 et 9.
noms : 1, 3, 7 et 10.

Page 107

2. Elle lave les fenêtres ;
3. Il saute dans un tas de feuilles ;
4. Elle peint la galerie ;
5. Elle grimpe dans l'arbre ;
6. Il nettoie la voiture ;
7. Il ratisse le gazon.

Page 109

5-2-4-3-1-8-7-6.

Page 112

« c doux » : ciboulette, cinéma, cirque, citrouille, coccinelle, citron, ciel.
« c dur » : concombre, cousin, crapaud, coccinelle, corneille, calendrier.

Page 113

1. novembre, août, janvier, mars, avril, juillet, mai, septembre, février, octobre, juin, décembre.

Page 115

1. Gérard, Mike, Tom, Alexis, Dave, Benjamin, Virgile, Jack, Neil.
2. Camille, Pauline, Francine, Stéphia, Karen, Julia, Marie-Lou, Gisèle, Sandra.
3. Alexis ;
4. Jack ;
5. Julia ;
6. Gérard ;
7. Virgile ;
8. dix-huit (18) personnes.

Page 117

Horizontal : 1, mouche ; 2, abeille ;
3. coccinelle ; 4. sauterelle.
Vertical : 1. fourmi ; 2. cigale ;
3. maringouin ; 4. papillon.

Page 122

façon, garçon, reçu, balançoire, déçu.

Page 123

a) ! ; b) ! ; c) . ; d) ! ; e) .

Page 125

Les jolies filles s'amusent avec leurs copines.
Des mignons poissons rouges nagent dans les rivières.
Des gros camions verts circulent sur les chemins.
Les gentils docteurs soignent des patients.
Les coiffeuses coupent des longs cheveux.

Page 127

1. cartes ; 2. pluie ; 3. arbres ; 4, souliers ;
5. promener ; 6. éclairs ; 7. orages.

Page 128

1. Salade de fruits d'été.
2. Les tailler en tranches.
3. Dans un grand bol.
4. coupe, taille, oublie, enlever, ajoute, tranche, mets, peux, mettre.
5. pomme, fraise, cerise.

Page 130

Croque-Mots a acheté ce joli collier en Floride l'été dernier.

Page 132

confiture : 4 ; banane : 3 ;
poulet : 2 ; fromage : 3 ;
macaroni : 4 ; saumon : 2 ;
détergent : 3.

Page 136

vrai, faux, vrai, faux, faux.

Page 138

Gabrielle.

144